虞世南孔子廟堂碑

中國碑帖名品

[四十一]

上海書畫出版社

《中國碑帖名品》編委會

編委會主任

盧輔聖　王立翔

編委（按姓氏筆畫爲序）

王立翔　沈培方
胡傳海　孫稼阜
張偉生　馮　磊
盧輔聖

本册責任編輯

馮　磊

本册釋文注釋

俞　豐

本册圖文審定

沈培方

前言

中華文明綿延五千餘年，文字實具第一功。從倉頡造字而雨粟鬼泣的傳説起，歷經華夏子民智慧聚集、薪火相傳，終使漢字生生不息、蔚爲壯觀。伴隨著漢字發展而成長的中國書法，基於漢字象形表意的特性，在一代又一代書寫者的努力之下，最終超越其實用意義，成爲一門世界上其他民族文字無法企及的純藝術，并成爲漢文化的重要元素之一。在中國知識階層看來，書法是中國人『澄懷味象』、寓哲理於詩性的藝術最高表現方式，她净化、提升了人的精神品格，歷來被視爲『道』『器』合一。而事實上，中國書法確實包羅萬象，從孔孟釋道到各家學説，從宇宙自然到社會生活，中華文化的精粹，在其間都得到了種種反映，書法無愧爲中華文化的載體。書法又推動了漢字的發展，篆、隸、草、行、真五體的嬗變和成熟，源於無數書家承前啓後、對漢字美的不懈追求，多樣的書家風格，則愈加顯示出漢字的無窮活力。那些最優秀的『知行合一』的書法家們是中華智慧的實踐者，他們彙成的這條書法之河印證了中華文化的發展。

因此，學習和探求書法藝術，實際上是瞭解中華文化最有效的一個途徑。歷史證明，漢字及其書法衝破了民族文化的隔閡和時空的限制，在世界文明的進程中發生了重要作用。我們堅信，在今後的文明進程中，這一獨特的藝術形式，仍將發揮出巨大的力量。然而，在當代這個社會經濟高速發展、不同文化劇烈碰撞的時期，書法也遭遇前所未有的挑戰，這其間自有種種因素，而漢字書寫的退化，或許是書法之道出現踟躕不前窘狀的重要原因，因此，有識之士深感傳統文化有『迷失』、『式微』之虞。書法藝術的健康發展，有賴對中國文化、藝術真諦更深刻的體認，彙聚更多的力量做更多務實的工作，這是當今從事書法工作的專業人士責無旁貸的重任。

有鑒於此，上海書畫出版社以保存、還原最優秀的書法藝術作品爲目的，承繼五十年出版傳統，出版了這套《中國碑帖名品》叢帖。該叢帖在總結本社不同時段字帖出版的資源和經驗基礎上，更加系統地觀照整個書法史的藝術進程，彙聚歷代尤其是今人對不同書體不同書家作品（包括新出土書跡）的深入研究，以書體遞變爲縱軸，以書家風格爲横綫，遴選了書法史上最優秀的書法作品彙編成一百册，再現了中國書法史的輝煌。

爲了更方便讀者學習與品鑒，本套叢帖在文字疏解、藝術賞評諸方面做了全新的嘗試，使文字記載、釋義的屬性與書法藝術造型、審美的作用相輔相成，進一步拓展字帖的功能。同時，我們精選底本，并充分利用現代高度發展的印刷技術，精心校核，原色印刷，幾同真跡，這必將有益於臨習者更準確地體會與欣賞，以獲得學習的門徑。披覽全帙，思接千載，我們希望通過精心編撰、系統規模的出版工作，能爲當今書法藝術的弘揚和發展，起到綿薄的推進作用，以無愧祖宗留給我們的偉大遺産。

上海書畫出版社

簡介

虞世南（生於五五八年，卒於六三八年），字伯施，越州餘姚（屬今浙江省）人。唐太宗時爲弘文館學士，貞觀七年授祕書監，封永興縣子，授銀青光禄大夫。故人亦稱『虞祕監』和『虞永興』。書法承智永傳授，得二王法，端肅静穆，舒卷雅逸。對後代影響極大。後人將他與唐初的歐陽詢、褚遂良、薛稷合稱爲『初唐四大書家』。

《孔子廟堂碑》，又稱《夫子廟堂碑》，虞世南撰并書，相王李旦書額。唐太宗貞觀七年（六三三）立。碑文記載了唐高祖李淵於武德九年（六二六）立孔子第三十三代孫孔德倫爲褒聖侯及重修孔廟事跡。相傳此碑僅在貞觀年間拓得數十本賜近臣，旋石毁於火。武周長安三年（七〇三），武後命相王李旦重刻并書碑額，後亦遭火焚毁。之後仍有重刻，現存僅二：一是宋初王彦超重刻，碑在陝西西安，俗稱『陝本』、『陝西本』或『西廟堂』，三十五行，行六十四字。碑末增『王彦超再建，安祚刻字』；一爲山東城武縣所存元代至元年間重摹本，俗稱『城武本』或『東廟堂』。其他還有『曲阜刻本』，在山東曲阜縣學，清乾隆五十八年翁方綱摹刻；饒州（今江西波陽縣）『錦江書院刻本』；有南海（今廣東南海縣）潘氏『海山仙館本』等。皆無拓本傳世。

本次選用之本爲上海圖書館所藏清初期精拓陝本。有道光間潘德輿跋尾。整幅爲朵雲軒所藏，百年前舊拓。均爲首次原色全本影印。

堂之碑

太子中舍人行著作郎臣[illegible]南奉 勅撰并書 司徒并州牧太子左千[illegible]率兼撿挍安北大都護相王旦 書碑額

觀頡聞前史若乃知幾其神惟睿作聖玄妙之境希夷不測然則三五迭興典墳斯著神[illegible]跡可得言焉自肇立書契初分爻象垂拱之風革夏翦

質文殊致進讓罕同靡不拜洛觀河膺符受命名居域中之大手握天下之圖象雷雲[illegible]咸刑法陽春而流惠澤然後化漸八方令行四海未有偃息鄉

頹帝王之錄遠跡胥史之傳而德侔覆載明兼日月道藝徽而復顯禮樂弛而更張[illegible]理畫怯光前絕後垂範百王遺風於萬代猗歟偉歟若斯之盛者

之精踵千年之聖固天縱以挺質稟生德而降靈載誕空桑自標河海之狀纔[illegible]掖克秀堯禹之姿知微知章可久可大為而不宰合天道於無言

通顯[illegible]於藏用祖述先聖憲章往哲夫其道也固以孕育陶均苞含造化豈直席卷[illegible]并吞九丘而已哉雖亞聖鄰幾之智仰之而彌遠亡吳霸越之辯談

之而不及于時天[illegible]浸微地維將絕周室大壞魯道日衰永歎時囏賓思濡足遂通降跡中都[illegible]司寇道超三代止乎季孟之閒若論五伯終從大夫之後固知栖遑

弗已志在於求仁[illegible]從時義存於拯溺方且重反淳風一匡末運是以載贄以[illegible]諸侯懷[illegible]遊列國玄覽不極應物如響辯飛龜於石驗集隼於金櫝觸舟既燒

專車能對識四象之[illegible]明商羊之興雨知來藏往一以貫之但否泰有期達人所以知命[illegible]唯道明哲所以周身牖里幽憂方顯姬文之德夏臺羈紲彌累商王之

武陳蔡為幸斯之謂與[illegible]是自衛反魯刪書定樂贊易道以測精微修春秋以正褒貶[illegible]徽降光丹書表瑞濟濟焉洋洋焉充宇宙而洽幽明動風雲而潤江海

斯皆紀乎竹素懸諸日月[illegible]仁獸非時鳴鳥弗至哲人云逝梁嶽已隤尚使泗水却[illegible]不息魯堂餘響絲竹猶傳非夫體道窮神至靈知化其孰能與於此乎自

時厥後遺芳無絕法被區[illegible]濟天下反金冊斯誤玉弩載驚孔教已焚秦宗亦墜[illegible]永言前烈褒成爰建用光祀典魏之黃初式遵故訓宗聖疏爵允緝舊章

金行水意亦存斯義而晦明[illegible]乜亨運有筐筥蘋蘩與時升降靈宇虛廟隨道亦之[illegible]其炎精失御蜂飛蝟起羽檄交馳經籍道息屋壁無藏書之所階基絕函丈之容五

禮六樂翦焉煨燼重弘至教允[illegible]聖期大唐運膺九五基超七百燕矣王献[illegible]我景命鴻名盛烈無得稱焉 皇帝欽明睿哲參天兩地匹聖匹神允文允武經綸

玄始時惟龍戰爰愁戎衣用扶[illegible]神謀不測妙算無遺弘濟艱難平壹區宇[illegible]倉生於仁壽致君道於堯舜職兼三相位總六戎玄珪乘石之尊朱戶渠門之錫禮優

往代事踰恒典於是在三睠命北[illegible]克隆帝道平承鴻業明玉鏡以式九圍[illegible]蘿圖而御六辯寅奉上玄肅恭清廟宵衣昃食視膳之禮無方一日萬機問安之誠彌

篤孝治要道於斯為大故能使[illegible]風淳俗厚日月所照無思不服[illegible]獯戎為患自古周道再興僅得中筭漢圖方遠纔聞下冊造勤六月之戰侵軼無虧空書

貳師之兵憑淩滋甚 皇威所被[illegible]空山盡漠歸命闕庭充仞藁[illegible]填委外廄開闢已來未之有也靈臺偃伯玉關虛候江海無波烽燧息警非煙浮漢榮光莫

河楛矢東歸白環西入猶且競懷[illegible]隍畀宮菲食輕傜薄賦所[illegible]反樸抵辟藏金革昮垂風緌衣表化歷選列辟曠求遂古克己思曾何等級於是盻屬

聖暮凝心大道以為栝羽成器必[illegible]身皆資學技刻匹人[illegible]義析理微言厲以四科明其七教懿德高風垂裒斯遠而棟宇弗脩宗祧莫嗣用紆聽覽爰

發絲綸武德九年十二月廿九日[illegible]侯孔嗣哲子德[illegible]聖侯乃命經營惟新舊阯萬雉斯建百堵皆興揆日占星式規大壯鳳甍騫其特起龍桷儼

以臨空霞入綺寮日暉丹檻窅窅崇[illegible]寫狀妙絕人[illegible]設已陳肅焉如在握文履度復見儀形鳳跱龍蹲猶臨咫尺俛尔微笑若聽武城之絃怡然動

色似聞簫韶之響禧禧盛脈既覩仲由保[illegible]不疾[illegible]其何遠至於仲春令序時和景淑睃絜辟池圓流若鏡青蔥槐市總翠成帷清滌玄酒致敬於

茲日合舞釋菜無絕於終古 皇上以幾覽餘暇遍[illegible]鏡述一篇永垂鑒戒極聖人之用心弘大訓之微旨妙道天文煥乎畢備副君膺上嗣之尊體元良

之德降情儒術遊心經藝楚詩盛於六義沛易明於九[illegible]名儒接武四海之內靡然成俗懷經鼓篋攝齋趨奧並鏡雲披俱餐泉涌素絲既染白玉已彫資覆

匱以成山道消流而為海大矣哉然後知達學之為[illegible]人也國子祭酒楊師道等偃玄風於聖世闡至道於先師仰彼高山願宣盛德昔者楚國先賢尚傳

風範莊州文學猶鏤哥頌況帝京赤縣之中天衢[illegible]觀用崇明祀宣文教於六學闡 皇風於千載安可不贊述徽猷被之雕篆乃抗表陳奏請勒貞碑

爰命庸虛式揚茂實敢陳舞詠迺作銘云 景[illegible]上聖德寔稟英靈神凝氣秀日角珠庭採賾索隱窮幾洞冥述作爰備丘墳咸紀表正十倫章明四

始繫續義易書因魯史髹此素王遐焉高軌三[illegible]兵利龍文鼎輕天垂伏鼈海躍長鯨解黻去佩書燼儒坑慕堯中葉追尊大聖乃建褒成膺茲

顯命當塗創業亦崇師敬胙土錫圭禮容斯盛[illegible]亡學廢風頹雅缺戎夏交馳星分地裂蘋藻莫奠山河已絕隨風不競龜玉淪亡樽俎弗習干

戈載揚露雹闕里麥秀鄒鄉修文繼絕期之會[illegible]道赫赫玄功茫茫天造奄有神器光臨大寶比蹤連陸追風炎昊於鑠 元后膺圖撥亂天地

合德人神攸贊麟鳳為寶光華在旦繼聖崇儒[illegible]紆縈重巘霧宿洞戶風清雲開春牖日隱南榮鏗肱鐘律躅絜盦明容範既備德音無斁肅

[illegible]泮宮燒燒讓庠獵纓訪道横經請益帝德[illegible]

[illegible]臺節度管內觀察處置等使特進撿校太師兼中書令行京兆尹上柱國琅琊郡開國公食邑四千五百戶食實封一千三百戶王彥超 再建 安祚刻字

行：官制用語。由他官兼攝其事。唐時『行某官』表示高級散官兼任低級職事。『太子中舍人』爲正五品下，『著作郎』爲從五品上，故曰『行』。

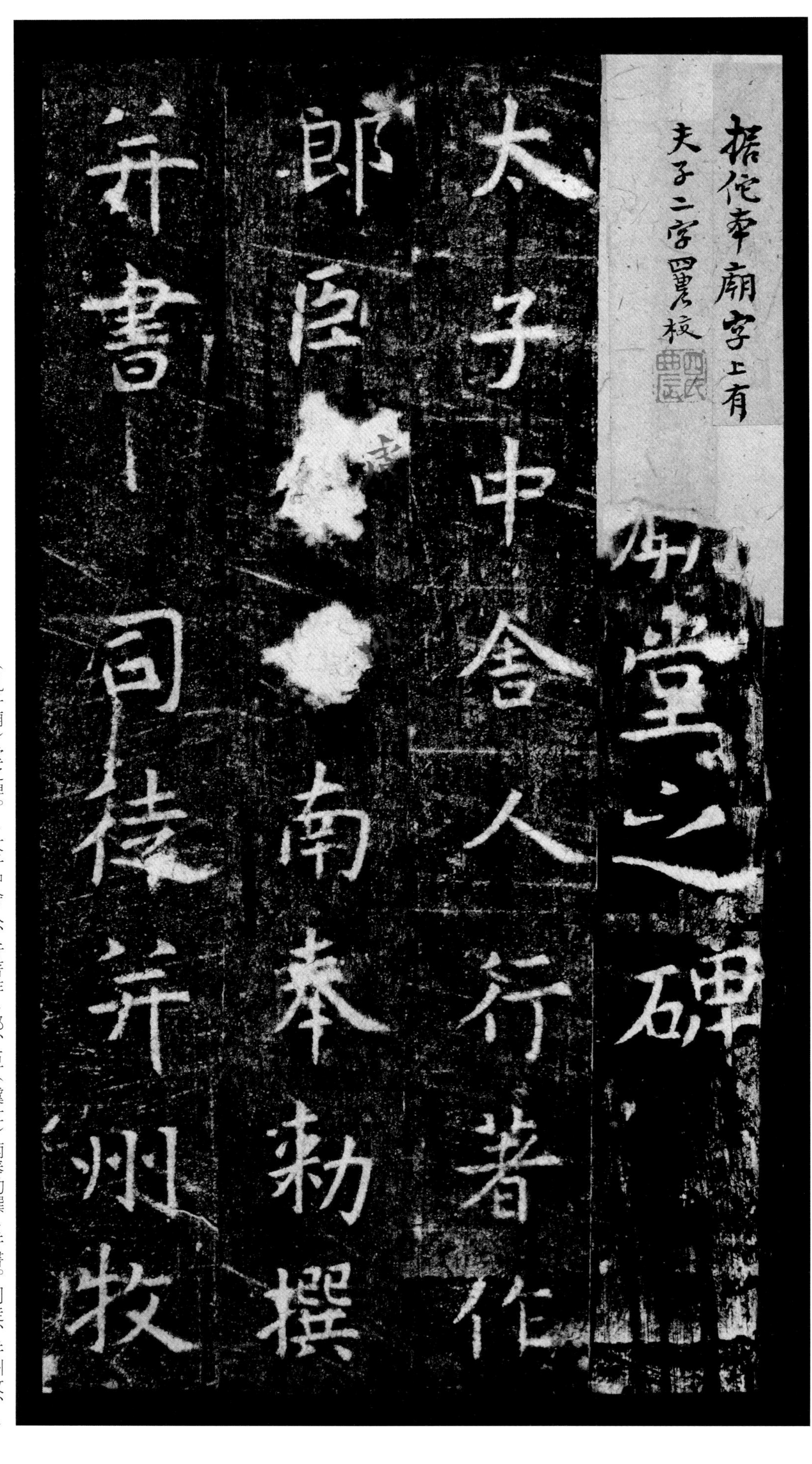

（孔子廟）堂之碑。／太子中舍人、行著作／郎、臣（虞世）南奉勅撰／并書。司徒、并州牧、／

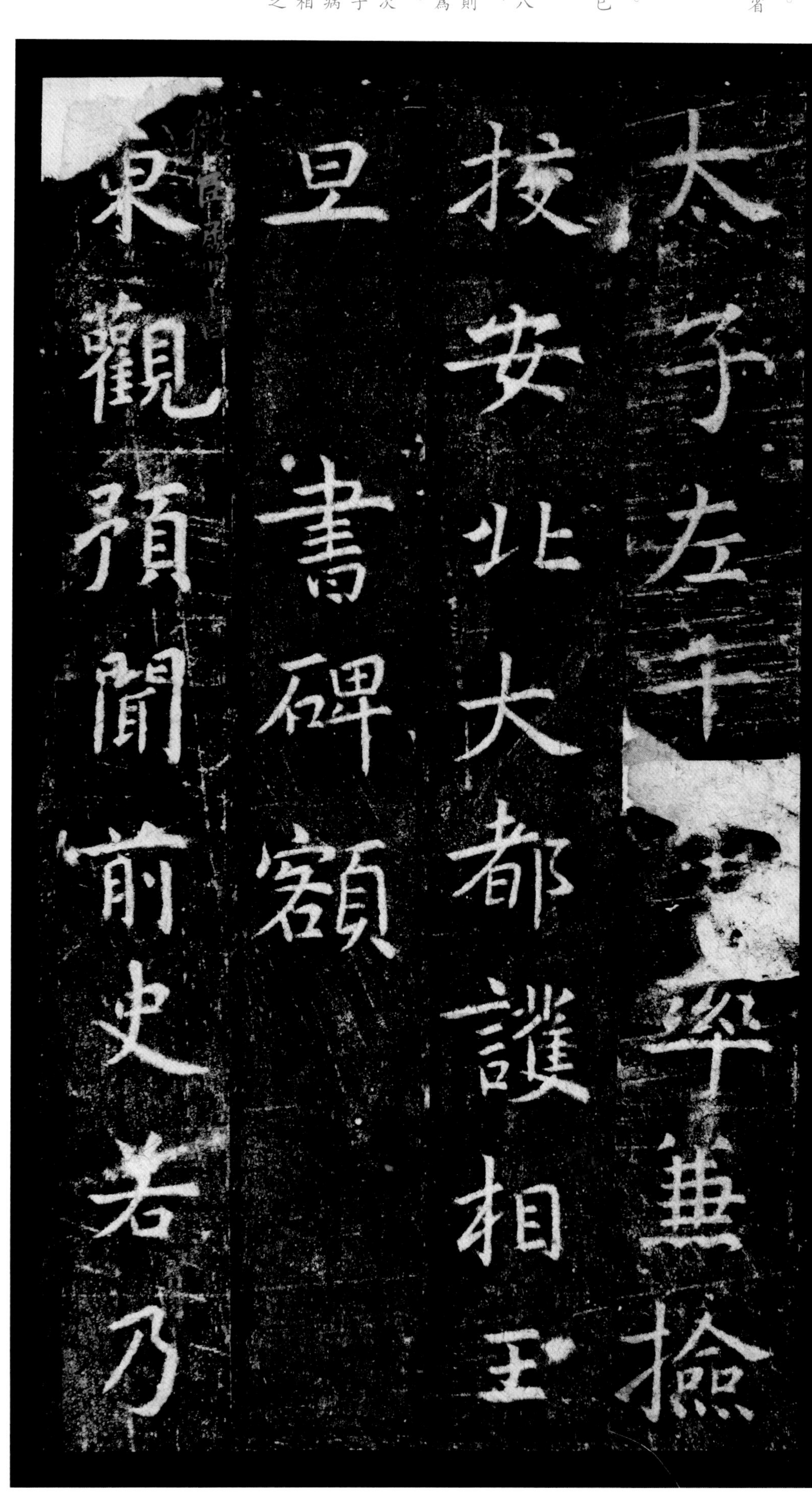

太子左千（牛）率、兼檢／校安北大都護、相王／旦書碑額。／（微臣屬書）東觀，預聞前史。若乃／

太子左千牛率：東宮禁衛的長官。『千牛』爲千牛備身、千牛衛的省稱。掌執千牛刀，爲君王護衛。

檢校：官制用語，隋及唐初皆有。表示代理，即尚未實授其官，但已掌其職事。

相王旦：即唐睿宗李旦，高宗第八子，母爲武則天。武則天廢中宗，立李旦爲帝，但毫無實權。後武則天廢除睿宗，自立爲帝，封李旦爲相王。武則天去世後，中宗復位。七一〇年，中宗被毒殺，睿宗再次即位。七一二年，睿宗讓位於其子李隆基，自稱太上皇，四年後病逝。此碑最初爲貞觀年間所立，相王李旦書額乃是長安三年重刻時之事。

東觀：東漢洛陽南宮内觀名。章、和二帝時爲皇宮藏書之府。

知幾：有預見，看出事物發生變化的隱微徵兆。

惟睿作聖：於事無不通達。

希夷：玄妙不測的境界。

三五迭興：三皇五帝的交替更迭。

典墳：三墳、五典的省稱，泛指古代典籍。

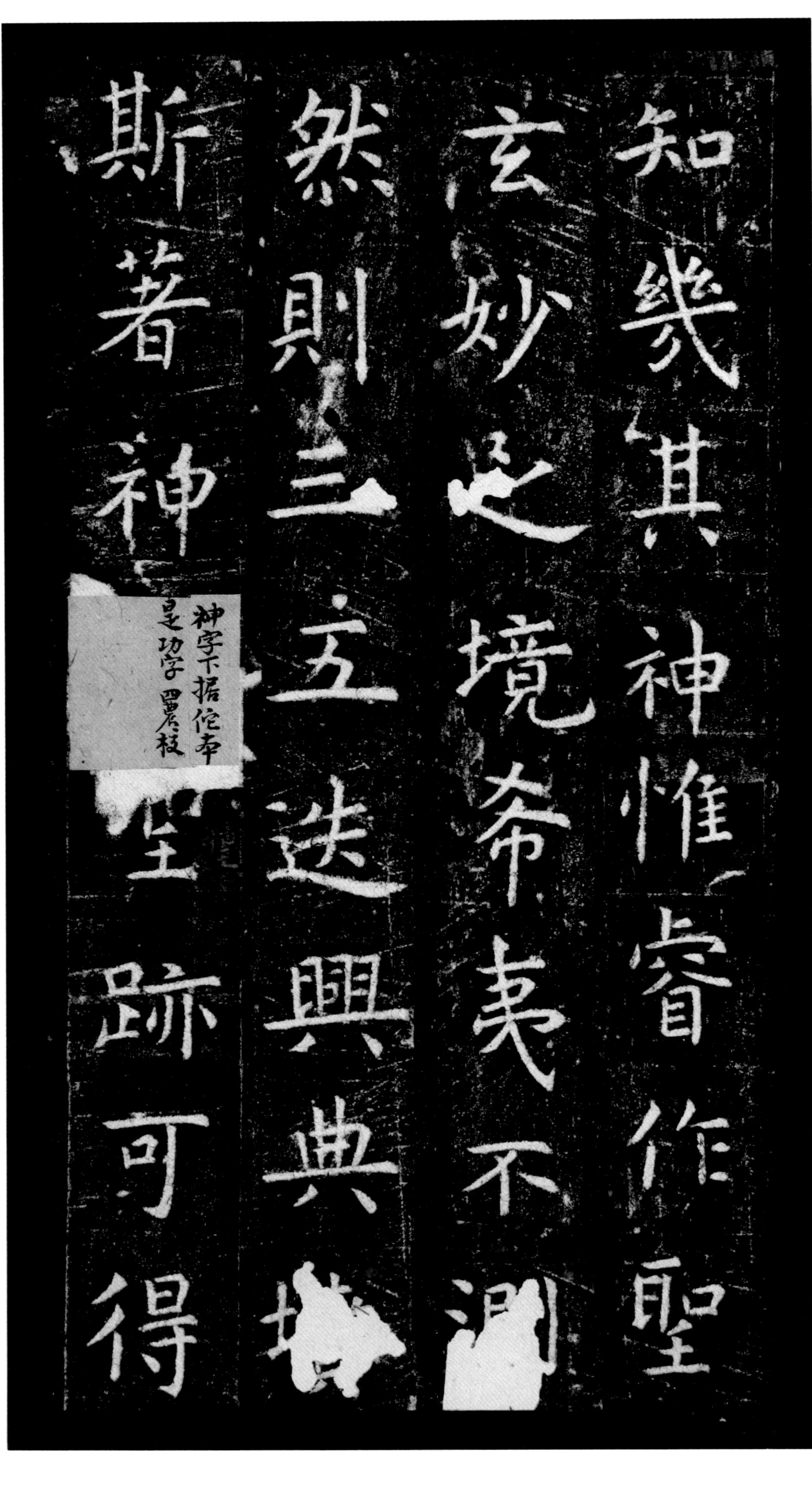

知幾其神，惟睿作聖，／玄妙之境，希夷不測。／然則三五迭興，典（墳）／斯著，神（功）聖跡，可得／

言焉。自肇立書契，初／分爻象，委裘垂拱之／風，革夏翦（商之業，雖復）／質文殊致，進讓罕同，／

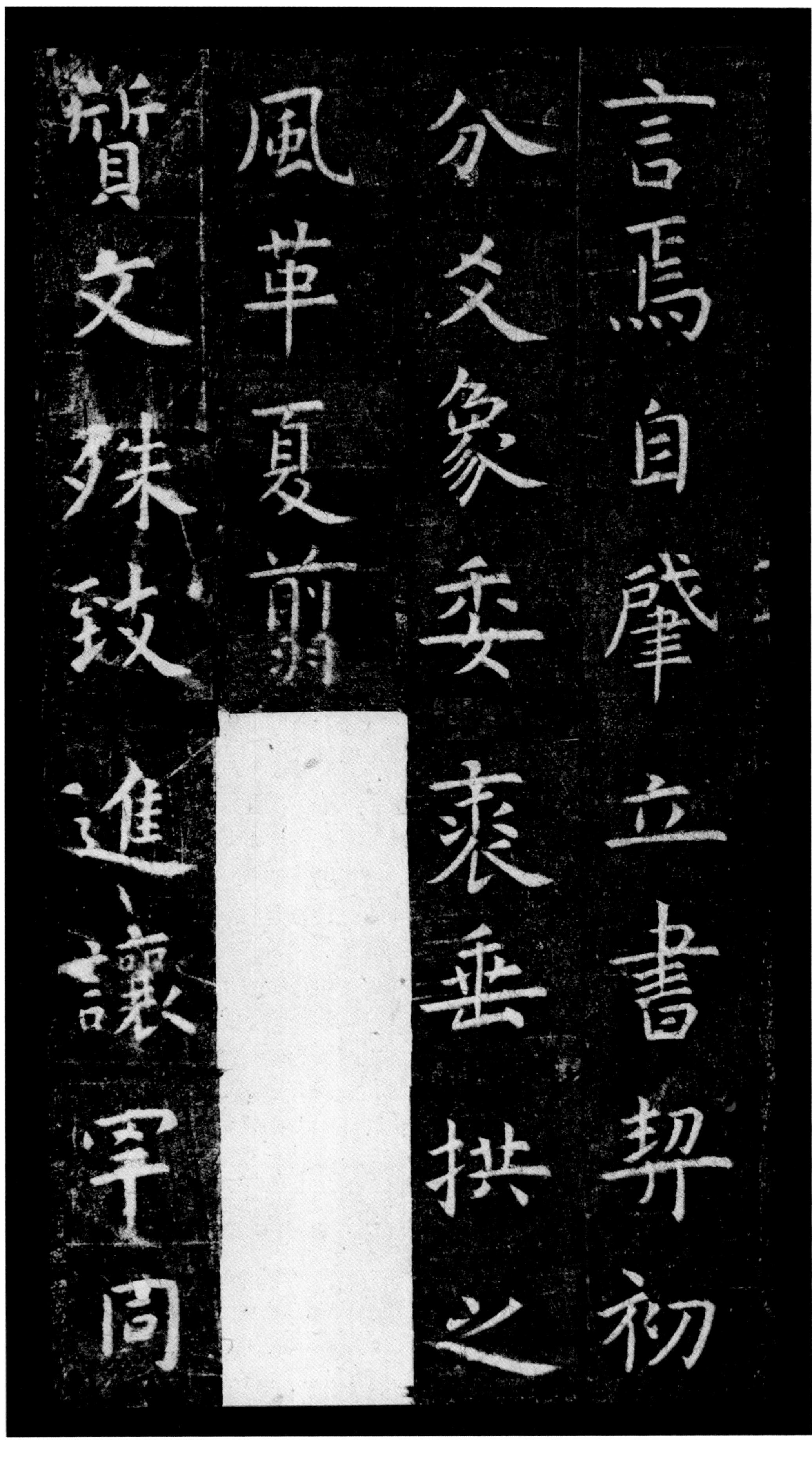

肇立書契：創造文字。

爻象：《周易》中的爻辭和象辭。泛指《易傳》。

委裘：稱頌帝王無爲而治的典故。典出《呂氏春秋·察賢》。

翦：通「剪」。消滅。革夏翦商：商滅夏，周滅商，指三代的更迭。

質文：實質內容與外在形式。

進讓：進取與謙讓。

拜洛觀河：禮拜洛水和黄河之神。古代認爲『河圖洛書』是帝王聖者受命之祥瑞，因此歷朝多行祭祀之典。

膺符：受符。膺符受命：接受天之符命。指做皇帝。

象雷電以立威刑：取法天上的雷電之象，樹立威嚴的刑法。

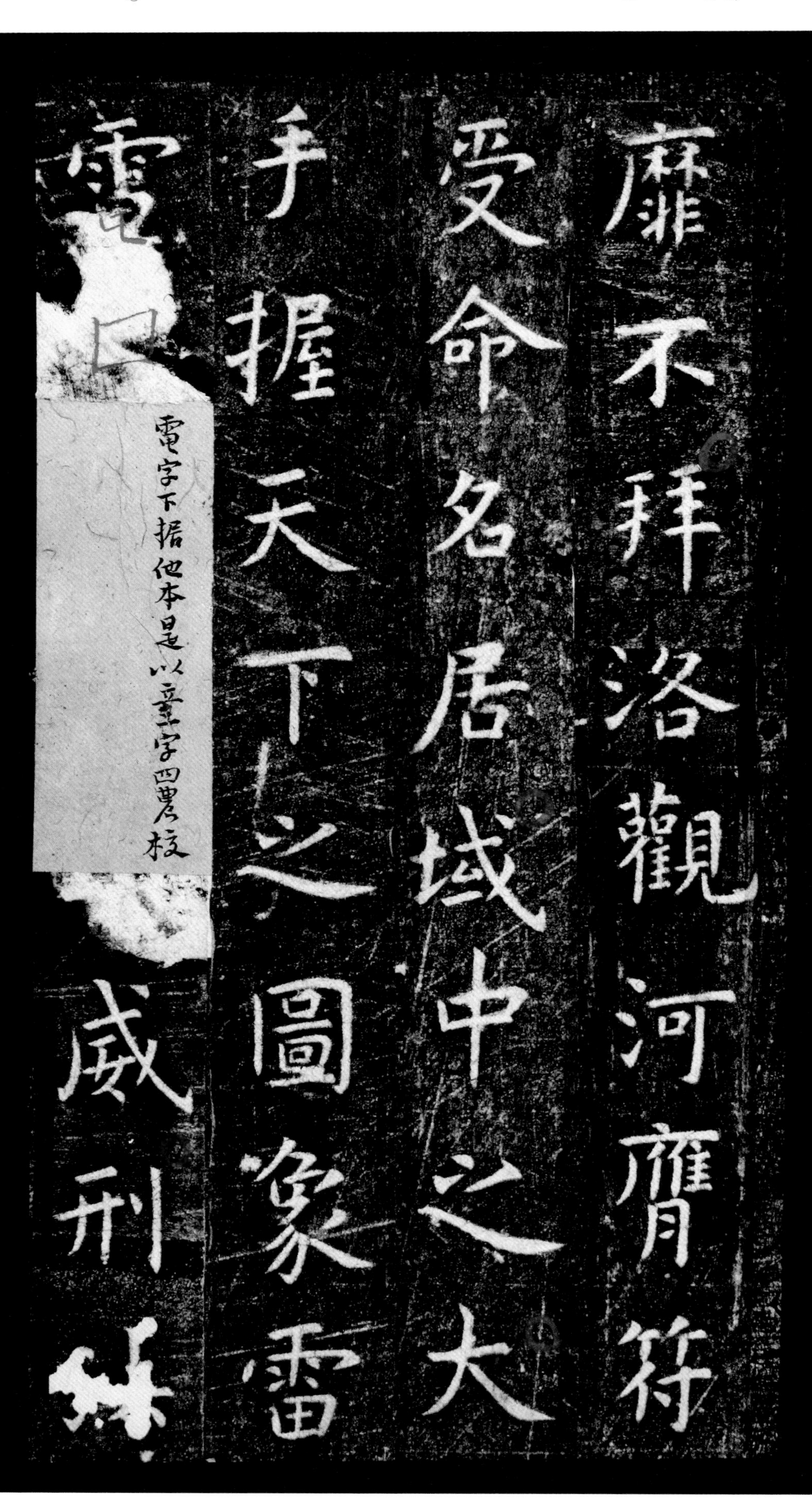

靡不拜洛觀河，膺符／受命。名居域中之大，／手握天下之圖。象雷／電（以立）威刑，（法）／

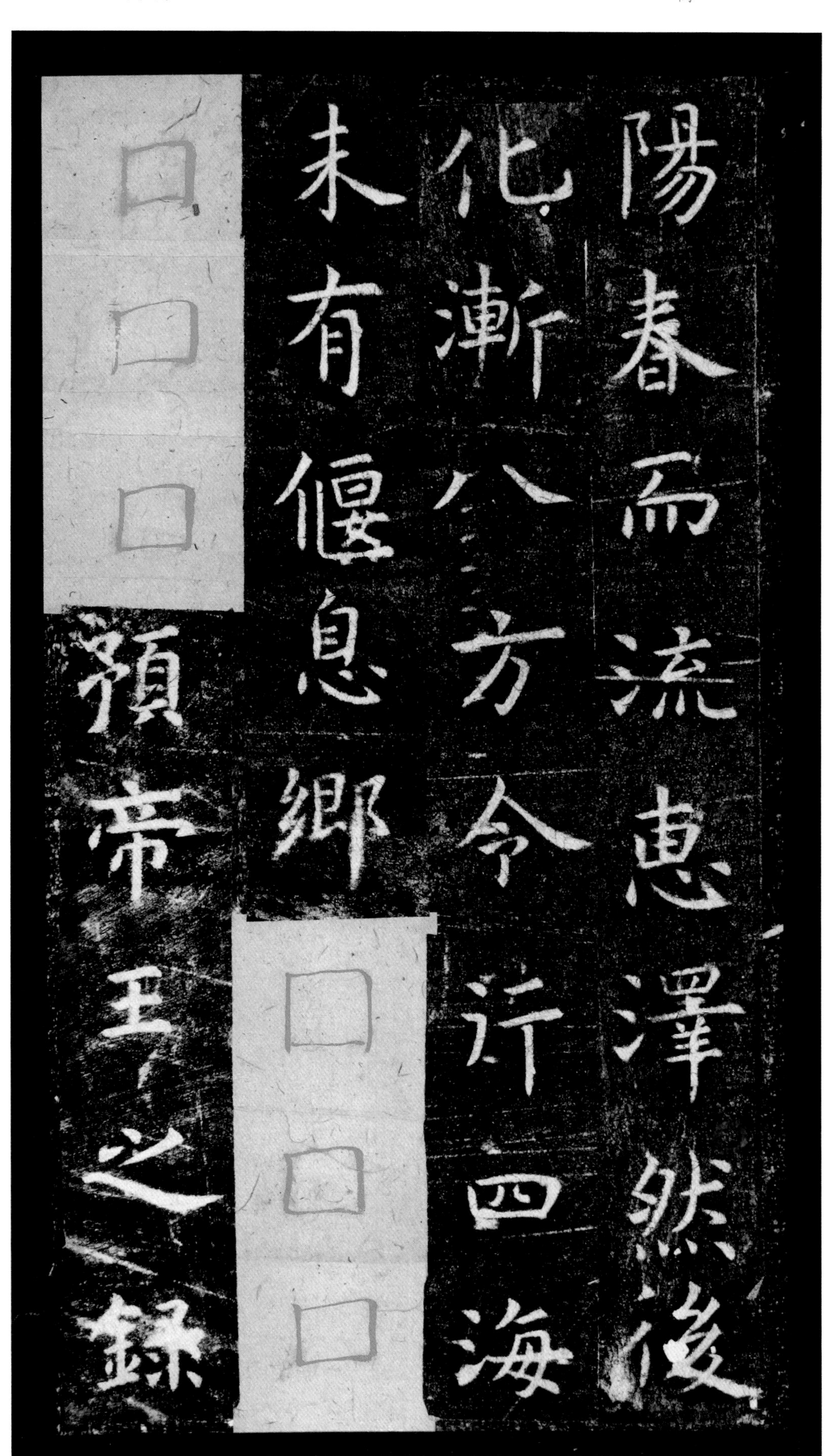

陽春而流惠澤。然後/化漸八方，令行四海。/未有偃息鄉（黨，栖遲/洙泗，不）預帝王之録，/

法陽春而流惠澤：取法春天化育萬物之象澤惠天下。

偃息：斂藏退息。鄉黨：指家鄉。栖遅：滯留，不得志。

洙泗：洙水和泗水。春秋時屬魯國地，孔子在洙泗之間聚徒講學。代稱賢人所居之地。

胥史：胥吏，小吏。

德侔覆載：德配天地。覆載：指天地。

窮理盡性：窮究天地萬物之理與性。語出《易·說卦》：『窮理盡性以至於命。』

遠跡胥史之儔。而德／侔覆載，明兼日月。道／藝微而復顯，禮樂弛／而更張。（窮）理盡性，／

光前絶後。垂範百王，／遺風於萬代。猗歟！偉／歟！若斯之盛者（也。夫／子膺五緯）之精，踵／

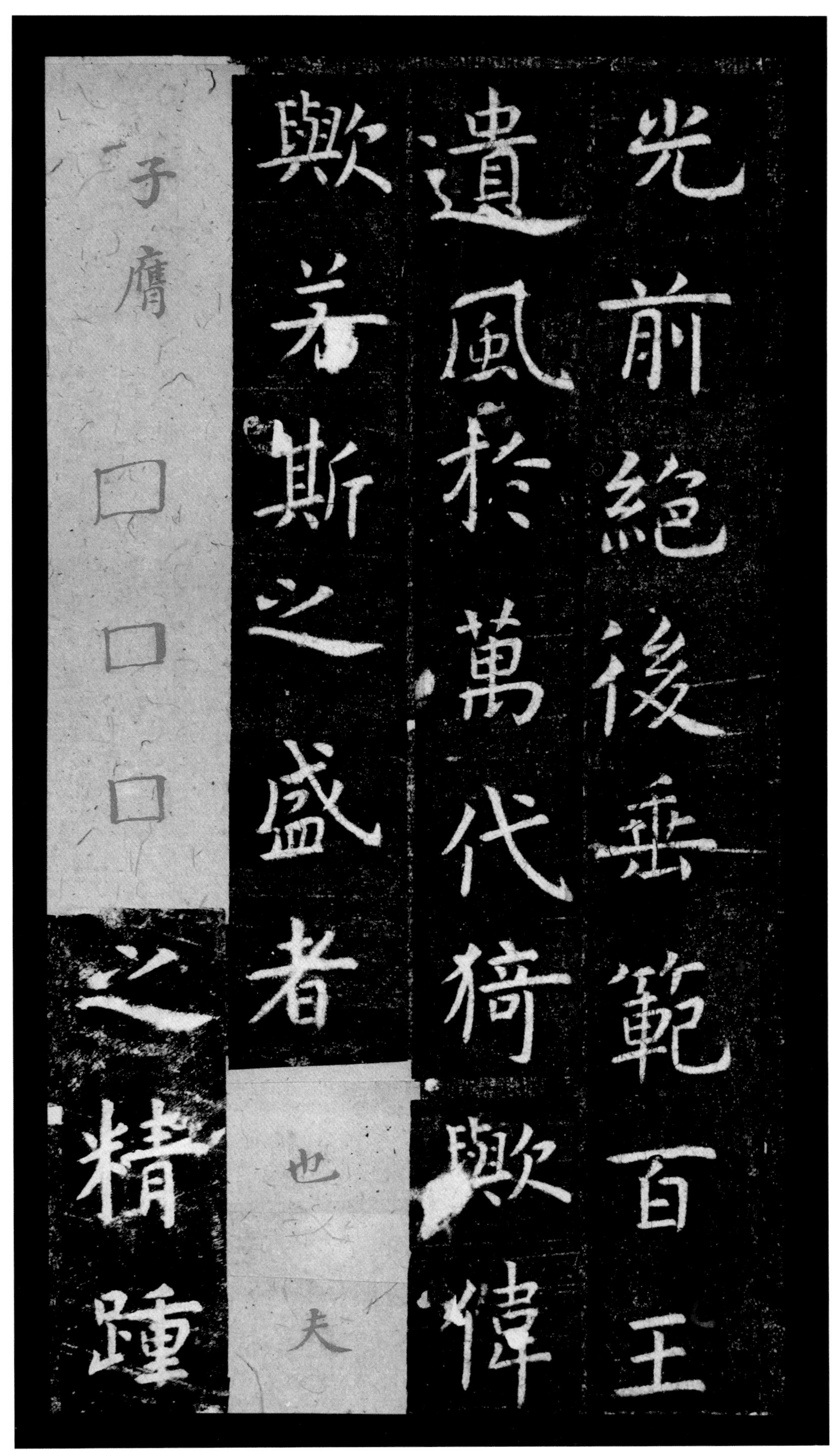

猗歟：嘆詞。表示贊美。

五緯：指金、木、水、火、土五星。

挺質：生就的美質。

生德：天生的美德。

空桒：傳説中的孔子出生地。

河海之狀：形容博大而寬廣的胸懷。

纔：同『才』。

逢掖：本指寬大的衣袖。此指儒生所穿之衣。

千年之聖。固天縱以／挺質，稟生德而降靈。／載誕空桒，自標河海／之狀；纔（勝逢）掖，克秀／

知微知章：既瞭解細小的萌芽狀態，又瞭解發展起來後的顯著特徵。形容瞭解事物發展的始末。章：通『彰』。

可久可大：可以長久，可以博大。語出《易·繫辭上》。

藏用：潛藏著的功用。

堯禹之姿。知微知章，╱可久可大。爲而不宰，╱合天道於無言，（感而遂）╱通，顯（至仁於）藏用。祖╱

祖述先聖，憲章往哲：遵循先聖之道，效法前哲之制。

陶均：本指製作陶器所用的轉輪。比喻天地造化。

八代：指三皇、五帝。泛指歷朝歷代。

九丘：指九州。

述先聖，憲章往哲。夫/其道也，固以孕育陶/均，包含造化。豈直席/卷（八代，）并吞九丘/

而已哉。雖亞聖鄰幾／之智，仰之而弥遠；亡／吳霸越之辯，談之而／不及。于時（天歷）浸微，／

亞聖：指道德才智僅次於聖人的人。後世特指孟子。

鄰幾：接近。

亡吳霸越之辯：指越王勾踐之臣大夫文種謀亡吳之辭。

天歷：天之曆數，指周朝的天命。

浸：漸。

蘒：同『艱』。

濡足：沾污了脚。此處指孔子涉足於世事，思有以補救時風。

中都：魯國的都邑。

地維將絕。周室大壞，/魯道日衰。永嘆時蘒，/實思濡足。遂廼降跡/中都，（俯）臨司寇。道/

超三代，止乎季孟之／間；羞論五伯，終從大／夫之後。固知棲遑弗／已，志在於求仁；（危遜）從／

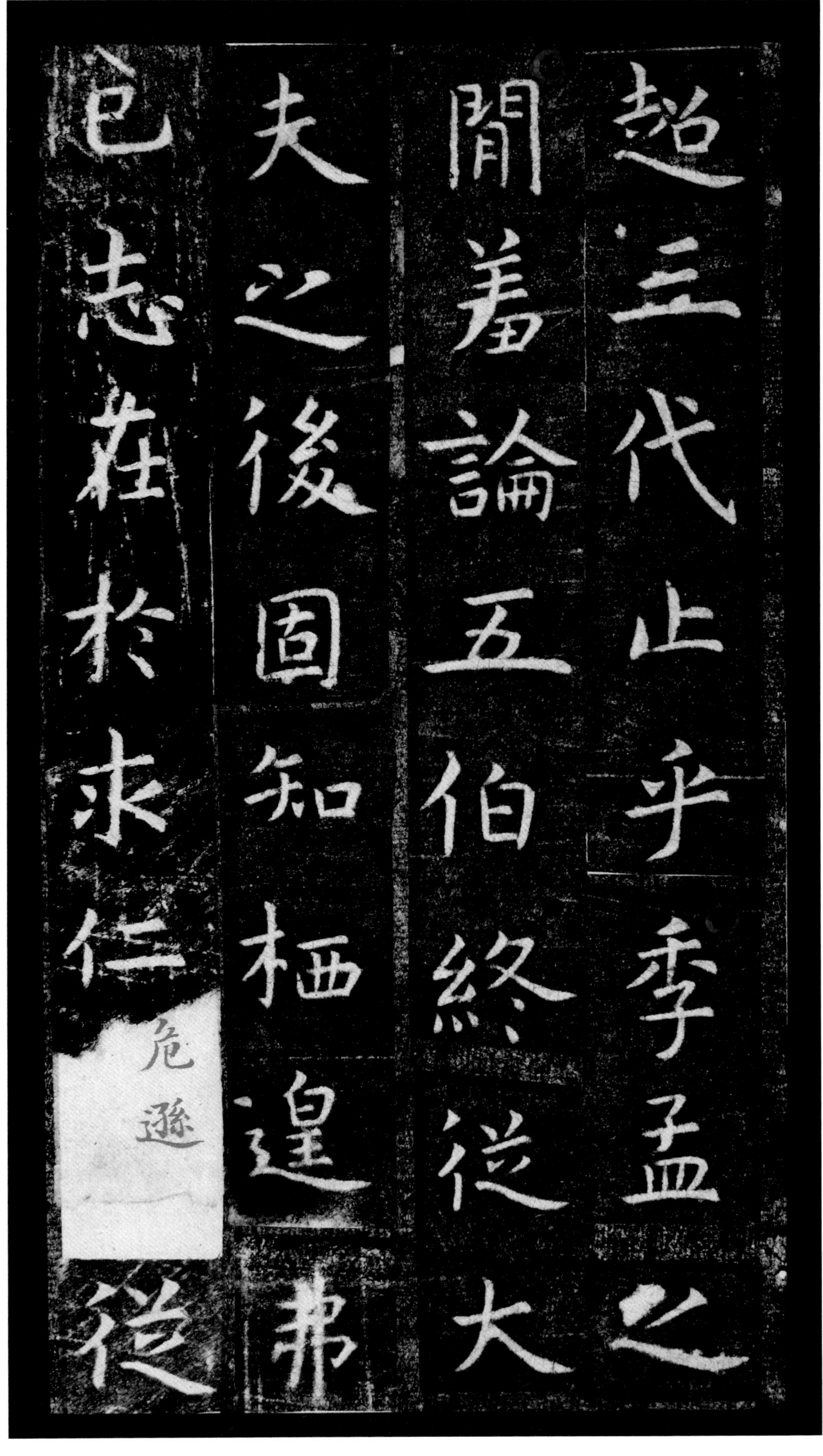

季孟之間：指季孫氏與孟孫氏之間。語出《論語·微子》。此句表示孔子雖然道超三代，但待遇只在上等和下等之間。

五伯：指春秋五霸，即齊桓公、晉文公、宋襄公、楚莊公、秦繆公。羞論五霸：謂以論五霸爲羞，即表示孔子之道超越五霸之上。

從大夫之後：位居於諸大夫之後，表示地位不高。

棲遑：忙碌不安，奔忙不定。

危遜：危險和逃遁。危遜從時，表示不在意自身的安危，聽任自然。

拯溺：拯救時風的衰敗。

載贄：帶著晉見的禮物。謂急於出仕。

玄覽：遠見，深察。

時義存於拯溺方且
重反淳風一匡末運
是以載贄以適諸侯
懷寶而遊列國玄覽

時，義存於拯溺。方且／重反淳風，一匡末運。／是以載贄以（適）諸侯，／懷寶而遊列國。玄覽／

不極，應物如響。辯飛／龜於石函，驗集隼於／金櫝。觸舟既曉，專車／能對。識罔象之（在）川，／

辯：通『辨』。飛龜：書名，是記載道家修仙術之書。相傳吴王伐石以治宫室，於石函中得此書，不能讀之，問孔子而得知所從來。

隼：一種猛禽。相傳孔子在陳，有隼集於陳侯之庭而死，楛矢貫之，陳惠公使人問孔子，孔子能作解答。

觸舟既曉：相傳楚昭王渡江，有物大如斗，直觸王舟，止於舟中。昭王大怪之，問孔子，知爲祥瑞。

專車能對：相傳吴伐越，墮會稽，得骨節專車。吴派使者問孔子，孔子答此爲防風氏之骨節。

罔象：古代傳説中的水怪。相傳季桓子穿井得土缶，中若羊，問孔子，孔子説水之怪龍、罔象，土之怪墳羊。

商羊：傳説中的鳥名，據説大雨前常屈一足起舞。相傳此鳥飛集於齊侯之宮，齊侯派人問孔子，孔子曰此爲商羊，天將大雨。

知来藏往：指對未来有所預見，對已往心中了然。

否泰：指世道盛衰，命運順逆。有期：有定期。

卷舒：指進退、隱顯。

明商羊之興雨。知来/藏往，一以貫之。但否/泰有期，達人所以知/命；（卷舒）唯道，明哲所/

以周身。牖里幽憂，方／顯姬文之德；夏臺羈／紲，弗累商王之武。陳／蔡為幸，斯之謂歟？（於）／

牖里：即『羑里』。殷代監獄名。在今河南湯陰北。爲紂王幽禁周文王之地。

姬文：即周文王，文王姬姓。

夏臺：夏代獄名。又名均臺。在今河南禹縣南。

陳蔡：春秋時國名。史載孔子曾困於陳蔡之間。

紫微：即紫微垣。星官名，象徵帝王之尊。此處指孔子爲『素王』。
丹書：傳說中赤雀所銜的瑞書。

是自衛反魯，刪《書》定／《樂》。贊《易》道以測精微，／修《春秋》以正褒貶。（故／能使）紫微降光，丹書／

濟濟：盛美貌。
洋洋：盛大貌。

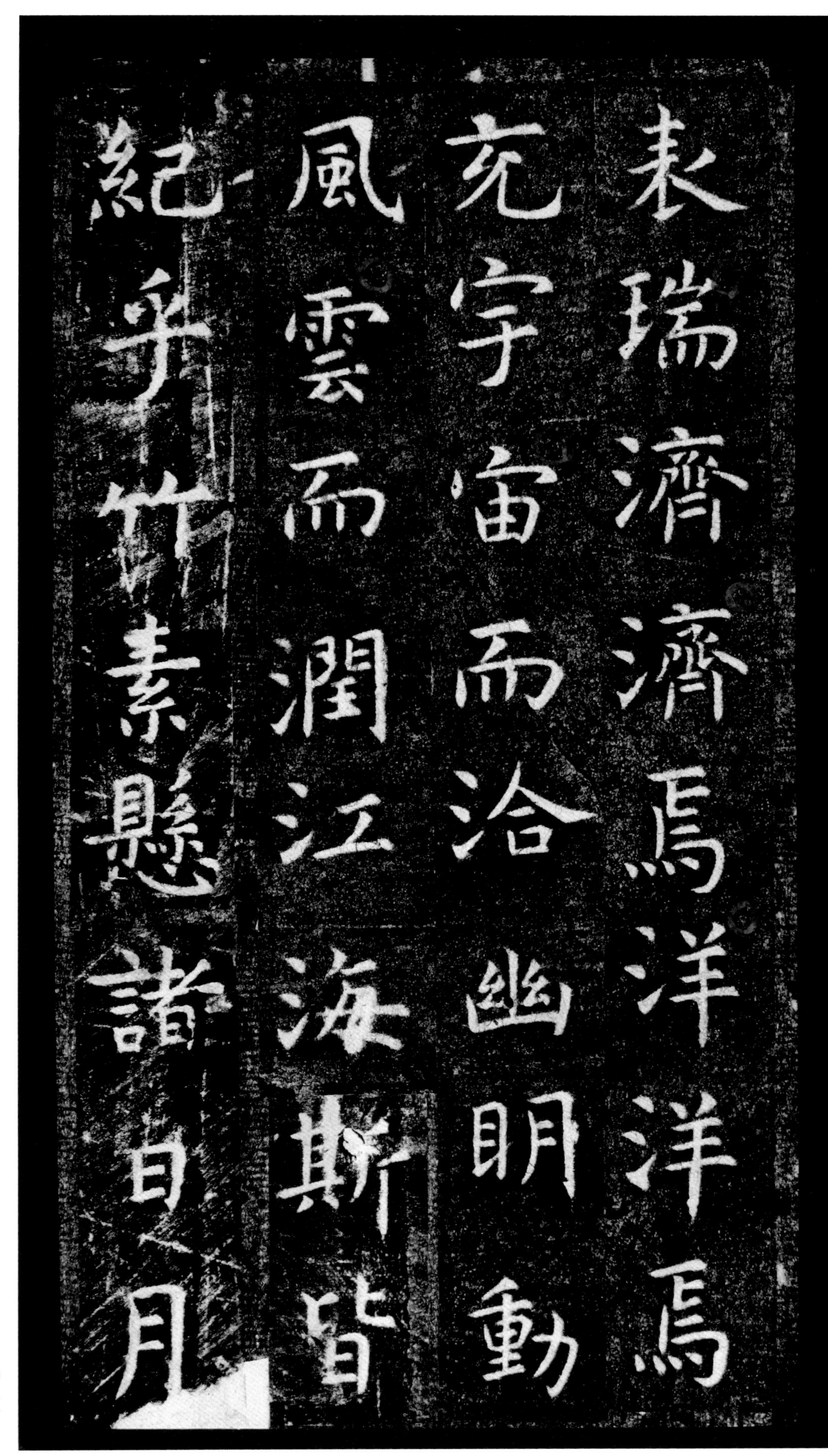

表瑞。濟濟焉！洋洋焉！／充宇宙而洽幽明，動／風雲而潤江海。斯皆／紀乎竹素，懸諸日月。／

仁獸：麒麟的别名。此句指春秋魯哀公十四年獵獲麒麟事。相傳孔子作《春秋》至此而輟筆。

鳴鳥：指鳳凰。《論語·子罕》：「子曰：『鳳鳥不至，河不出圖，吾已矣夫。』」

隤：倒下，崩塌。

泗水却流：漢王充《論衡》卷四：「孔子當泗水之葬，泗水爲之却流。此言孔子之德能使水却不湍其墓也。」

（既而）仁獸非時，鳴鳥／弗至。哲人云逝，峻嶽／已隤。尚使泗水却（流，／波瀾）不息；魯堂餘響，／

絲竹猶傳非夫體道
窮神至靈知化其孰
能與於此乎自時厥
後遺芳無絕法被區

絲竹猶傳。非夫體道∕窮神，至靈知化，其孰∕能與於此乎？自時厥∕後，遺芳無絕。法被區∕

玉弩：指流星。古代認爲流星現，是天下將亂的徵兆。此句是説秦始皇建國後焚書坑儒之事。

元始：漢平帝劉衎年號。

（中，道）濟天下。及金册／斯誤，玉弩載驚。孔教／已焚，秦宗亦墜。（漢）之／（元始，）永言前烈。褒成／

爰建，用光祀典。魏之／黄初，式遵故訓。宗聖／疏爵，允緝舊章。金行／水悳，亦存斯義。而晦／

褒成爰建：《漢書·平帝紀》載：元始元年，封孔子後孔均爲『褒成侯』，奉其祀，追謚孔子曰『褒成宣尼公』。

《三國志·魏書·文帝紀》：黄初二年春，『詔曰：「……遭天下大亂，百祀墮壞，舊居之廟，毁而不修，褒成之後，絶而莫繼，闕里不聞講頌之聲，四時不睹蒸嘗之位，斯豈所謂崇禮報功，盛德百世必祀者哉！其以議郎孔羡爲宗聖侯，邑百户，奉孔子祀。」令魯郡修起舊廟，置百户吏卒以守衛之，又於其外廣爲室屋以居學者。』

悳：同『德』。金行水悳：指晋和北魏。《隋書》卷六十《崔仲方傳》：『晋爲金行，後魏爲水。』

爰建用光祀典魏之黄初式遵故訓宗聖疏爵允緝舊章金行水悳亦存斯義而晦

屯亨：困頓和通達。

筐筥蘋蘩：泛指祭祀用的禮器和祭品。此處代指祭祀的典禮。

靈宇虛廟：泛指孔子的舊宅及孔廟。

精炎：本指以火德興起的王朝，泛指國統。

蝟：同『猬』，即刺猬。蜂飛猬起，群蜂亂飛，如刺猬毛紛紛竪起。比喻紛然并起，天下大亂。乃指唐朝統一以前的紛亂局面。

明（匪一），屯亨遞有。筐/筥蘋蘩，與時升降。靈/宇虛廟，隨道（廢）興。炎/精失御，蜂飛蝟起。羽/

函丈：指講學的坐席。

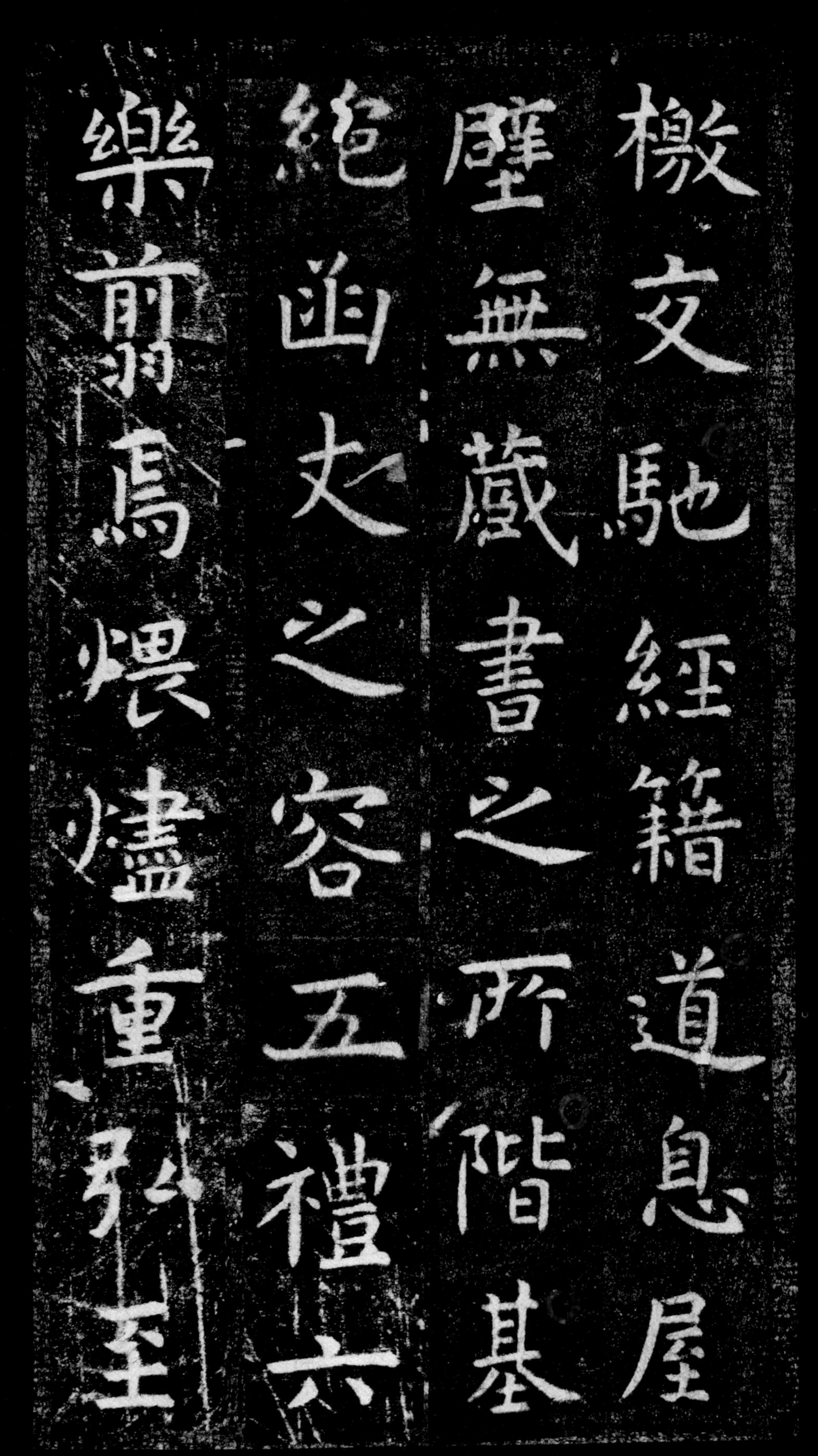

檄交馳，經籍道息。屋／壁無藏書之所，階基／絶函丈之容。五禮六／樂，翦焉煨燼。重弘至／

九五：指帝位。

七百：稱頌封建王朝運祚綿長的典故。

王猷：王道。

景命：大命。指授予帝王之位的天命。

教允屬聖期大唐運膺九五基超七百赫矣王猷蒸哉景命鴻名盛烈無得稱

教，允（屬）聖期。大/唐運膺九五，基超七/百。赫矣王猷，（蒸）哉景/命。鴻名盛烈，無得稱/

焉。皇帝欽明睿哲，／參天兩地。乃聖廼神，／允文允武。經綸云始，／時惟龍戰。爰整戎衣，／

焉　皇帝欽明睿哲

參天兩地乃聖廼神

允文允武經綸云始

時惟龍戰爰整戎衣

欽明：敬肅明察。睿哲：聖明，明智。均是對帝王的頌詞。

參天兩地：人之德可與天地相比。

經綸：籌劃治理國家大事。

龍戰：喻群雄爭奪天下。此指唐朝以武力奠定基業。

用扶（興業）。神謀不測，／妙算無遺。弘濟艱難，／平壹區宇。（納）蒼生於／仁壽，致君道於堯舜。／

職兼三相，位揔六戎。/玄珪乘石之尊，朱户/渠門之錫。禮優往代，/事踰恒典。於是在三/

三相：指中書、門下、尚書三省首腦。職兼三相：表示天下職權兼并於三省。

六戎：我國古代西方戎族之六部。泛指西方民族。

玄珪：黑色的玉器，上尖下方，古代用以賞賜建立特殊功績的人。

乘石：天子登車用的墊脚石。此處代指封王。

朱户：貴族的朱漆門户。

渠門：兩旗交接以爲軍門，此指將帥之門。

恒典：常典，常制。

在三：指君、父、師。

睠命：亦作『眷命』，垂愛并賦予重任。

吹萬：《莊子·齊物論》：『夫吹萬不同，而使其自已也。』表示風吹萬竅，發出各種音響。比喻恩澤廣被天下。

玉鏡：比喻清明之道。

式：統協。九圍：指九州。《詩經·商頌·長髮》：『帝命式於九圍。』

蘿圖：羅列圖籍。

六辯：或指六合。即四方及上下。辯，通『辨』。

龔奉：敬奉。

上玄：上天。

睠命，（兆庶樂推。）克隆／帝道，丕承鴻業。明玉／鏡以式九圍，（席）蘿圖／而御六辯。龔奉上玄，／

肅恭清廟：端嚴恭敬於清廟的祭祀。

旲：同『昃』。宵衣昃食：天不亮就穿衣起身，天很晚纔吃飯。形容非常勤勞，多用以稱頌帝王勤於政事。

視膳：古代臣下侍奉君主或子女侍奉雙親進餐的一種禮節。

無方：極盡所能。

肅恭清廟。宵衣旲食，/視膳之禮無方；一日/萬機，問安之誠弥篤。/孝治要道，於斯為大。/

肅恭清廟宵衣旲食
視膳之禮無方一日
萬機問安之誠弥篤
孝治要道於斯為大

憬彼：遥遠的樣子。《詩經·魯頌·泮水》：『憬彼淮夷。』

獯：獯鬻，夏代稱北方民族。周代稱『獫狁』，漢代後稱『匈奴』。戎：西方少數民族。

故能使地平天成風淳俗厚日月所照無思不服憬彼獯戎爲患自古周道再興僅

故能使（地平天成，）風／淳俗厚。日月所照，無／思不服。憬彼獯戎，爲／患自古。周道再興，僅／

中算：中等的。

六月之戰：指漢和帝永元元年六月，漢軍統帥車騎將軍竇憲率三路大軍大敗匈奴事。

侵軼：侵犯襲擊。㱣：同「懨」，通「厭」。無厭：不停息。

貳師：指漢貳師將軍李廣利。西漢征和三年，李廣利出征匈奴前與丞相劉屈氂密謀推立劉髆爲太子，後事發，劉屈氂被殺，李廣利投降匈奴，後亦被殺。

憑凌：滋擾侵犯。

得中算；漢圖方遠，纔／聞下册。徒勤六月之／戰，侵軼無㱣；空盡貳／師之兵，憑凌滋甚。／

犁：通『黧』，黑。顙：頭。黧顙：黑頭，指平民。厥角：謂獸之角。厥：其。『厥角』指以額觸地，此處則引申爲百姓歸心臣服。

空山盡漠：山林和大漠中所有之人。

充仞：充滿。槁街，漢時街名，在長安城南門内，爲屬國使節館舍所在地。

填委：填滿。外厩，宮外的馬舍。

皇威所被，（犁顙厥角。）／空山盡漠，歸命闕庭。／充仞槁（街），填委外厩。／開闢以來，未之有也。／

靈臺偃伯：『偃伯』亦作『偃霸』。指休戰。《後漢書·馬融傳》：『臣聞昔命師於鞬櫜，偃伯於靈臺，或人嘉而稱焉。』李賢注：『靈臺，望氣之臺也。』

玉關：即玉門關。

候，候人。古代關口稽查奸盜，迎候國外使者的官員。

烽燧：古代邊防報警的兩種信號，白天放烟稱『烽』，夜間舉火稱『燧』。

非烟：指慶雲，五色祥雲。浮漢：飄蕩於天河。

榮光：彩色的雲氣。莫：通『幕』。榮光幕河：五彩的雲氣從河上升起，如大幕張開。

楛矢：用楛木做杆的箭。楛矢東歸，指肅慎氏朝貢事。

白環西入：《竹書紀年》卷上：『六年，西王母之來朝，獻白環玉玦。』

靈臺偃伯，玉關虛候。／江海無波，烽燧息警。／非烟浮漢，榮光莫河。／楛矢東歸，白環西入。／

兢懷夕惕：日夜操勞憂慮。

馭朽：以朽敗的繩索駕馭馬匹，比喻帝王治國艱險不易。語出《尚書·五子之歌》。

納隍：指出民於水火的迫切心情。語見張衡《東京賦》。

卑宫菲食：居於簡陋的宫殿，以菜蔬佐飯。

斲：同『斫』，砍削。反：通『返』。樸：没有細加工的木料。

抵壁：擲壁。藏金：收藏起金銀的飾品。表示不以財寶爲重。

革舄：生皮所製的鞋。

綈衣：厚繒製成之衣，指粗衣。

猶且兢懷，（馭朽興睠／納）隍。卑宫菲食，輕徭／薄賦。（斲雕）反樸，抵璧／藏金。革舄垂風，綈衣／

表化。歷選列辟，旁求／遂古。克己思治，曾何／等級。於是眇屬／聖謩，凝心大道。以為／

列辟：指百官公卿。

曾何等級：謂自古以來無可比擬。

眇：古同「渺」，遠，高。屬：通「矚」。渺矚：高瞻遠矚。

聖謩：本謂聖人治天下的宏圖大略。後亦爲稱頌帝王謀略之詞。

括羽：箭末羽毛。比喻修學益智，增進才力。

膠雍：古代大學之稱，泛指學校。膠：指東膠，是周代的大學。雍：指辟雍，爲西周天子所設大學。

矧：況且。

厲：嚴肅。四科：儒學的四種科目。指德行、言語、政事、文學。

括羽成器，必（在膠雍。⟋道德潤）身，皆資學校。⟋矧廼入（神妙）義，析理微⟋言。厲以四科，明其七⟋

七教：古指父子、兄弟、夫婦、君臣、長幼、朋友、賓客互相間各自應當遵從的倫理規範。

垂裕：爲後人留下業績或名聲。

宗祧：宗嗣，嗣續。

用紆聽覽，爰發絲綸：此句謂皇帝聽從大臣的建議，下達詔書。絲綸：指帝王的詔書。

武德：唐高祖李淵年號。武德九年爲六二六年。

教。懿德高風，垂裕斯／遠。而棟宇弗修，宗祧／莫嗣。用紆聽覽，爰發／絲綸。武德九秊十二／

孔嗣哲：孔子第三十二代孫，隋煬帝大業四年封爲『紹聖侯』。子孔德倫，唐武德九年封爲『褒聖侯』。

月二十九日，（有詔立隋／故紹聖）侯孔嗣哲子／德（倫爲）褒聖侯。乃命／經營，惟新舊阯。萬雉／

斯建，百堵皆興。揆日／占星，式規大壯。鳳甍／騫其特起，龍桷儼以／臨空。霞入綺寮，日暉／

揆日：測日。

鳳甍：飾有鳳凰的屋脊。騫：仰，舉。

龍桷：刻畫有龍形的椽子。儼：昂首。

綺寮：雕刻或繪飾得很精美的窗户。

斯建百堵皆興揆日
占星式規大壯鳳甍
騫其特起龍桷儼以
臨空霞入綺寮日暉

丹檻：赤色的欄杆。

窅窅：隱晦、幽暗貌。崇邃：門戶幽深。

虛白：潔白，皎潔。語本《莊子・人間世》：『虛室生白，吉祥止止。』

握文履度：手握文書，脚穿大小合適的鞋子。

丹檻。窅窅崇（邃，悠悠／虛白。模形）寫狀，妙絶／人（功。象）設已陳，肅焉／如在。握文履度，復見／

鳳跱龍蹲：形容書法氣勢雄壯。

哯：『哯』之訛。哯爾：同『莞爾』。微笑。

武城：《論語・陽貨》：『子之武城，聞弦歌之聲。』後借指禮樂教化。

聋：同『聞』。簫韶：舜樂名。《尚書・益稷》：『《簫韶》九成，鳳皇來儀。』

襜襜：盛裝貌。漢劉向《說苑・雜言》：『子路盛服而見孔子。孔子曰：「由，是襜襜者何也？」』

儀形鳳跱龍蹲猶臨
咫尺哯尒微咲若聽
武城之絃怡然動色
似聋簫韶之響襜襜

儀形。鳳跱龍蹲，猶臨／咫尺。哯爾微笑，若聽／武城之弦，怡然動色，／似聋簫韶之響。襜襜／

盛服，既睹仲由；侃（侃／禮容，仍觀衛賜。）不疾／而速，神其何遠。至於／仲春令序，時和景淑。／

仲由：即孔子弟子子路。

侃侃：和樂自然之貌。衛賜：即孔子弟子子貢。《論語·先進》：『閔子侍側，誾誾如也；子路，行行如也；冉有、子貢，侃侃如也。』

璧池：古代學宮前有半月形的水池。故稱『璧雍』。

槐市：漢代長安讀書人聚會、貿易之市。因其地多槐而得名。後借指學宮、學舍。

釋菜：古代入學時祭祀先聖先師的一種典禮。

皎絜璧池圓流若鏡
青葱槐市揔翠成帷
清滌玄酒致敬於茲
日合舞釋菜無絶於

皎潔璧池，圓流若鏡；/青葱槐市，揔翠成帷。/清滌玄酒，致敬於茲/日；合舞釋菜，無絶於/

《金鏡述》：唐太宗李世民所著之文。《玉海》卷二八：『貞觀二年正月庚午，著《金鏡述》以示侍臣。』又同書卷三二亦見。

終古。皇上以幾覽/餘暇，遍（該群籍，乃製）《金/鏡述》一篇，永垂鑒戒。/極聖人之用心，弘大/

副君：太子。上嗣，君主的嫡長子。

元良：太子的代稱。并有大善、至德之義。

訓之微旨。妙道天文，/焕乎畢備。副君膺上/嗣之尊，體元良之德。/降情儒術，遊心經藝。/

楚詩：漢楚元王所説的《詩》學。

六義：《〈詩〉大序》：『詩有六義焉：一曰風，二曰賦，三曰比，四曰興，五曰雅，六曰頌。』

沛易：漢沛獻王所説的《易》學。

九師：《漢書·藝文志》：『《淮南道訓》二篇。淮南王安聘明《易》者九人，號九師説。』

多士：衆多的賢士。

楚詩盛於六義，沛易明於九

師多士伏

膺

名儒接武。四海之內

靡然成俗。懷經鼓篋

楚詩盛於六義，沛易／明於九（師。多士伏膺，）／名儒接武。四海之内，／靡然成俗。懷經鼓篋，／

攝齊趨奥。並鏡雲披，/俱餐泉涌。素絲既染，/白玉已彫。資覆匱以/成山，導涓流而為海。/

攝齊趨奥：等於説登堂入室。攝齊：提起衣擺。古時官員升堂時謹防踩著衣擺，跌倒失態。表示恭敬有禮。趨奥：深入堂奥。

素絲既染：白絲被染色。『素絲既染，白玉已彫』：形容道德學問有了基礎。

匱：通『蕢』，框。覆蕢：倒一筐土。形容積小成大，積少成多。

達學：通曉各種學問。

國子祭酒：國子學或國子監的主管官。晉武帝咸寧四年設，以後歷代多沿用。

楊師道：字景猷，弘農華陰人。清警有才思。隋末，客居洛陽，爲王世充所拘。間歸唐，高祖以爲上儀同，爲備身左右，尚桂陽公主，封安德郡公。貞觀十年拜侍中，參與朝政。遷中書令，從征高麗，後轉太常卿，卒贈吏部尚書。傳見《舊唐書》卷六二。

偃：本義是仰卧，此處表示承接。

大矣哉！然後知達學／之為（貴，而弘道之由）／人也。國子祭酒楊師／道等，偃玄風於聖世，／

聞至道於先師。仰彼／高山，願宣聖德。昔者／楚國先賢，尚傳風範；／荊州文學，猶鐫哥頌。／

聞至道於先師仰彼高山願宣聖德昔者楚國先賢尚傳風範荊州文學猶鐫哥頌

楚國先賢：晉代張方著有《楚國先賢傳》。

荊州文學：魏王粲著有《荊州文學記》。

哥頌：同『歌頌』。

天街黃道：京城中的街道。

明祀：正統的祭祀。

六學：指周代的小學、東學、南學、西學、北學、太學。見《大戴禮記·保傅》。

況帝京赤縣之中天
街黃道之側聿興壯
觀用崇明祀宣文教
於六學闡皇風於

況帝京赤縣之中，天／街（黃道之側。聿興壯）／觀，用崇明祀。宣文教／於六學，闡皇風於／

千載。安可不贊述徽／猷，被之雕篆。乃抗表／陳奏，請勒貞碑。爰命／庸虛，式揚茂實。敢陳／

千載安可不賛述徽
猷被之雕篆乃抗表
陳奏請勒貞碑爰命
庸虛式揚茂實敢陳

徽猷：美善之道。猷：道。指修養、本事等。

雕篆：指刻碑立石。

庸虛：才能低下，學識淺薄。此爲自謙之詞。

景緯：日與星。垂象，構成天象。

月角珠庭：又作『日角珠庭』。古相術家語，形容額角突出，天庭飽滿，舊時認爲是大貴之相。

舞詠，迺作銘云：／景緯（垂象，川岳成形。挺／生）聖德，寔稟英靈。神／凝氣秀，月角珠庭。探／

探賾索隱：探索幽深隱微的事理。

窮幾洞冥：窮究幽微的跡象，洞察隱藏的道理。

十倫：指儒家的十種倫理道德。

四始：舊説《詩經》有四始，各家説法不一。

繫纘：繼承傳述。羲易，《周易》的别稱。因伏羲始作八卦故名。

魯史：指《春秋》。

賾索隱，窮幾洞冥。述／作爰備，丘墳咸紀。表／正十倫，章明四始。繫／纘羲易，書因魯史。懿／

素王：指孔子。孔子無帝王之位，而以道統天下，故稱。

高軌：高蹈的行跡。

三川：西周以涇、渭、洛爲三川；東周以河、洛、伊爲三川。代指周朝。

從衡：即『縱横』。戰國時期六國間的合縱和連横。

鶉首：星次名。指朱鳥七宿中的井宿和鬼宿。古以爲秦之分野，此處指秦國的軍隊。

龍文鼎：有龍文圖案的香爐。《史記·趙世家》：『秦武王與孟説舉龍文赤鼎，絶臏而死。』此句表示秦國武士威猛有力。

伏鷩：主争兵的一種星象。

海躍長鯨：比喻戰事洶涌激烈。

此素王，邈爲高軌。三／（川削弱，六國從衡。鶉／首）兵利，龍文鼎輕。天／垂伏鷩，海躍長鯨。解／

黻去佩，書爐儒坑。纂/堯中葉，追尊大聖。乃/建褒成，膺兹/顯命。當塗創業，亦崇/

黻去佩書爐儒坑纂堯中葉追尊大聖乃建褒成膺兹顯命當塗創業亦崇

黻：古代禮服上青黑相間的花紋，代指禮服。解黻去佩：表示脱去儒者的衣冠。

纂堯中葉：指西漢中葉。《漢書·叙傳》：『皇矣漢祖，纂堯之緒。』

當塗：三國魏的代稱。出自漢代讖書中的隱語。

胙土錫圭：指帝王封土地、賜玉圭以封於功臣宗室。

維傾柱折：大地傾斜，天柱折斷。形容國家淪滅。

戎夏：戎族和夏族。泛指各民族。此處指南北朝時期。

師敬。胙土錫圭，禮容／斯盛。（有晉崩離，維傾／柱折。）禮亡學廢，風頽／雅缺。戎夏交馳，星分／

蘋藻：古人用於祭祀的祭品。

隨：通「隋」。指隋朝。

龜王：當是「龜玉」。「王」、「玉」古通，但此處應是翻刻之訛。龜玉：占卜用的龜，和佩飾用的玉，代指禮儀之道。

樽俎：祭祀用的盛酒食的器皿。樽以盛酒，俎以盛肉。代指禮儀。

露霑：寒露降下。闕里：孔子故里。在今山東曲阜城内闕里街，因有兩石闕故名。

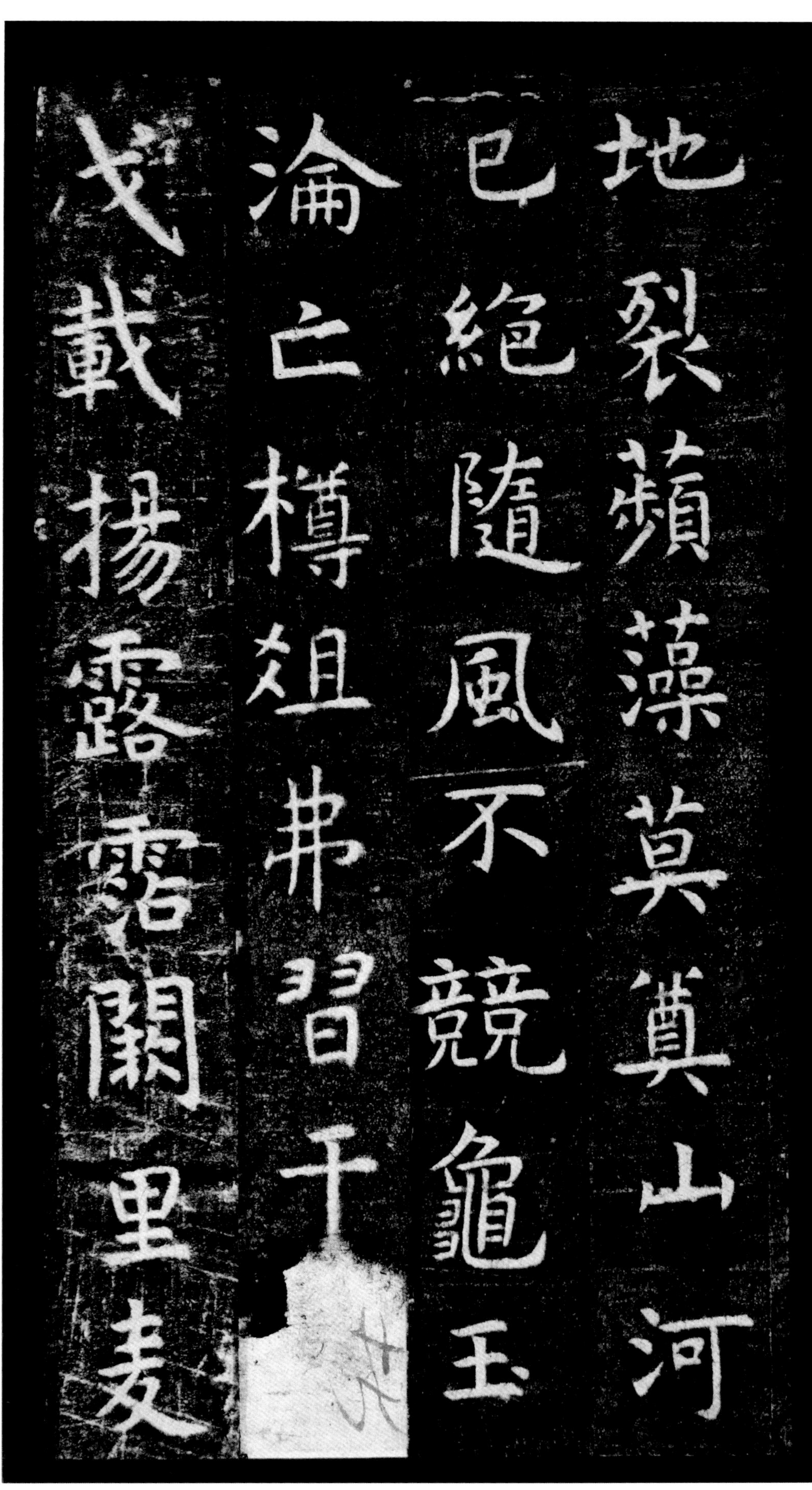

地裂。蘋藻莫奠，山河／已絕。隨風不競，龜王／淪亡。樽俎弗習，干／戈載揚。露霑闕里，麦／

麦秀：麦子秀發而未實。爲感嘆家國破亡之痛的典故。鄒鄉：孟子的故鄉。『露沾闕里，麦秀鄒鄉』：形容儒教受到摧殘。

會昌：會當與盛隆昌。

神器：代表國家政權的實物，如玉璽、寶鼎之類。借指帝位、政權。

秀鄒鄉。修文繼絶，期／之會（昌。大唐撫運，率／繇王）道。赫赫玄功，茫／茫天造。奄有神器，光／

臨大寶。比蹤連陸，追╱風炎昊。於鑠元后，╱膺圖撥亂。天地合德，╱人神攸贊。麟鳳為寶，╱

連陸：連，指季連；陸，指陸終。均爲上古天子。

炎昊：炎帝神農氏與太昊伏羲氏的合稱。

於鑠：嘆詞。表贊美。元后：天子。

輪奐：『美輪美奐』的省語。形容屋宇高大衆多。

義堂：學堂。

經肆：學舍。紆縈，回環旋繞。

重欒：重重的曲枅。欒：曲枅，即柱上承斗拱的曲木。

牖：窗户。

光華在旦。繼聖崇儒，／（載修輪奐。義堂弘敞，經肆）／紆縈。重欒霧宿，洞户／風清。雲開春牖，日隱／

南榮：房屋的南檐。榮，屋檐兩頭翹起的部分。

鏗聒：聲音洪亮。

蠲絜：同「蠲潔」。潔淨。

齍明：祭器内的黍稷。

無斁：無窮盡。

兟兟：衆多貌。

獵纓：收攬冠帶，表示恭敬嚴肅。

橫經：橫陳經籍。指受業或讀書。

南榮。鏗聒鐘律，蠲絜／齍明。容範既備，德音／無斁。肅肅升堂，兟兟／讓席。獵纓訪道，橫經／

請益。帝德儒風，永宣金石。／□興軍節度管内觀察處置等使特／進撿校太師兼中書令行京兆尹上柱國瑯／瑯郡開國公食邑四千五百户食實／

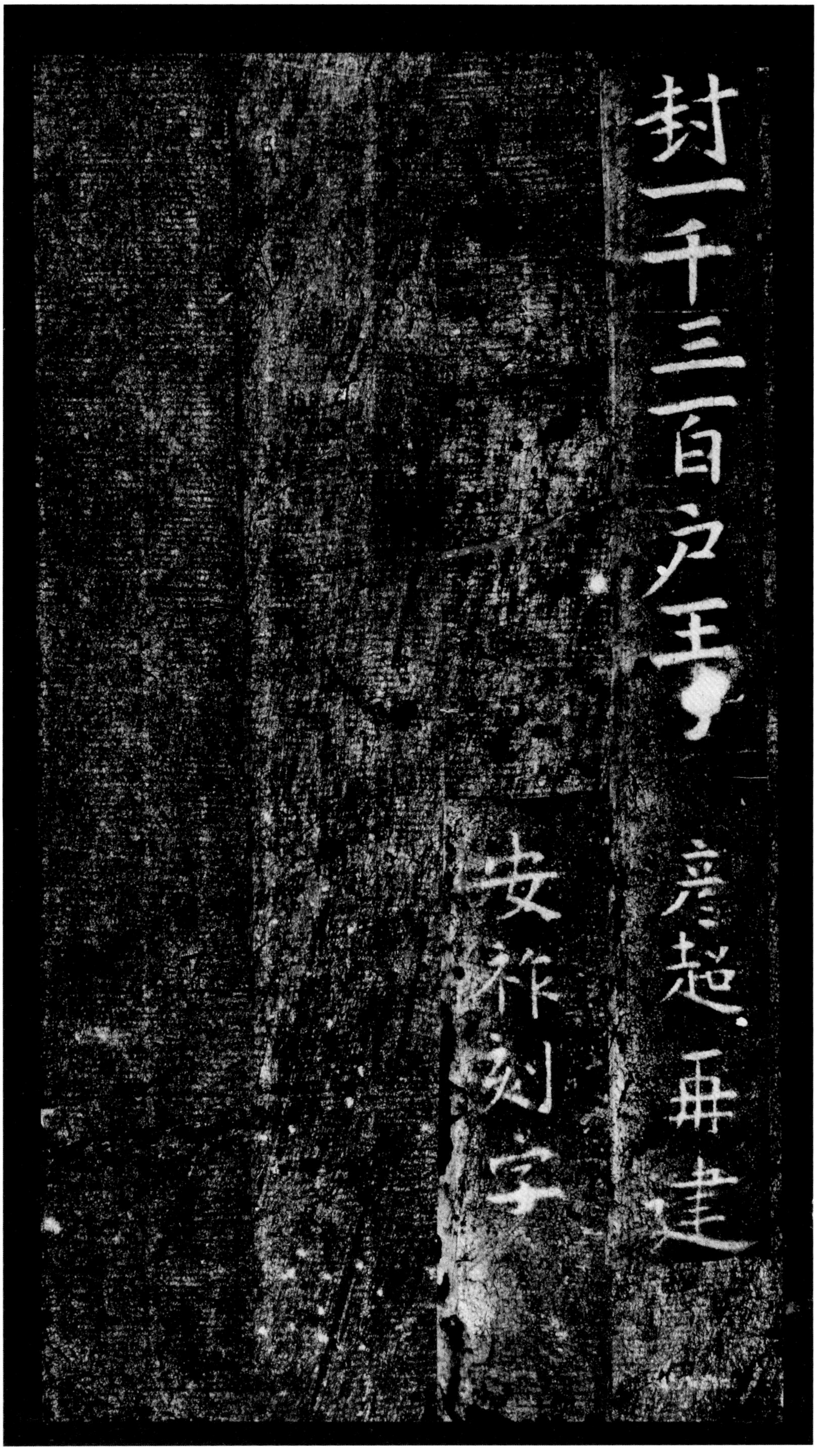

封一千三百户王彦超再建，/安祚刻字。/

虞永興書張懷瓘謂勝歐陽率更而傳志甚希董香光自謂至學永興破邪論不知其雁作猶自詡精鑒耶予哂郭胤伯金石史謂至今祇存一廟堂碑傳稱之是碑之建究不審其何歲歐陽子集古錄趙明誠金石錄皆謂建於武德九年非也蓋武德九年建廟貞觀之年廟成拜篆故碑有皇帝視膳問安等語指在高祖未崩之前而胤伯則為貞觀四年不知何所本矣武后移事磨去唐字

跋題大周孔子廟堂之碑前題相王旦書碑額後有
長安三年太歲癸卯金四月壬辰水朔八日己亥木書廿
一字黃魯直見葉浩芝家所藏如是之真唐拓也今本
乃王彥超翻刻魯直語不誣人言而碑在西安府學
趙子函語已斷斷破碎矣石既非舊加以刻斲如是據
此欲求伯施筆下本內含之妙豈可得矣近或傳某王
府有唐拓本進入
大內既不可得見人間諸翻刻本亦不足同予圖翻伯

皆宋經五代翻刻，丰神尚不相上下，所見勝本耶。此本乃吾友丁倍卿物，校余去歲所見所購本，皆勝。層臺緩步，高謝風塵之美，猶可於雲煙杳靄中約略求耳。

道光十八年歲次戊戌六月十六日山陽潘德輿題於養一齋

歷代集評

永興超出，下筆如神。不落疎慢，無慚世珍。然則壯文幾而老成，與貞白而德鄰。如層臺緩步，高謝風塵，纂、煥嗣聖，體多拘檢，如彼珷玞，亂其琬琰。

——唐 竇臮

其書得大令之宏規，含五方之正色，姿榮秀出，智勇在焉，秀嶺危峰，處處間起，行草之際，尤所偏工。及其暮齒，加以遒逸，臭味羊薄，不亦宜乎。是則東南之美，會稽之竹箭也……論其成體，則虞所不逮。歐若猛將深入，時或不利，虞若行人妙選，罕有失辭。虞則內含剛柔，歐則外露筋骨。君子藏器，以虞爲優。

——唐 張懷瓘《書斷》

虞世南蕭散灑落，真草惟命。如羅綺嬌春，鵷鴻戲沼，故當子雲之上。

——唐 李嗣真《書後品》

虞世南體段遒媚，舉止不凡，能中更能，妙中更妙。

——唐 韋續

釋智永善書，得王羲之法，世南往師焉，於是專心不懈，妙得其體。晚年正書，遂與王羲之相先後。當時與歐陽詢皆以書稱，議者以謂歐之與虞，智均力敵，虞則內含剛柔，歐則外露筋骨，君子藏器，以虞爲優。蓋世南作字，不擇紙筆，皆能如志，立意沈粹，若登太華，百盤九折，委屈而入杳冥。或以比羅綺嬌春，鵷鴻戲海，層臺緩步，高謝風塵。其亦善知書者。

——《宣和書譜》

虞書入妙品，評者謂其德鄰貞白，又謂與歐陽率更齊名而專體過之，如層臺緩步，高謝風塵。又如行人妙選，罕有失辭。特其傳世頗少。嘗見賈耽相公極稱虞筆，末云《孔子廟堂碑》，青箱中至寶而已。

——明 王世貞

永興親受筆訣於永禪師，當時進呈石本，太宗以右軍黄玉印賜之，今謝表勒在《群玉堂帖》，好事者合觀之，可以知伯施書矣。

——明 盛時泰

虞世南《廟堂碑》全是王法，最可知。

——清 馮班《鈍吟書要》

此碑重刻於宋初，蓋已失其本真矣，而清和圓勁，不使氣質，不立間架，虛而委蛇，行所無事，尚足照映一世，欻流百代，不知唐刻原本，妙更何如，馳仰未已。回視歐褚，猶覺有筆墨痕迹在，未若永興之書以無結構爲結構，無所用力而自右軍心法也。

——清 王澍

何義門云，《廟堂碑》是相傳江左字體，但未見唐石，其用筆不可考求矣。孫月峰則有峭勁似率更之語，今以此原石驗之，乃凝重，非峭勁也。陝本稍得其圓腴，而失其平正，城武本稍平正，而又失其圓腴，世間無虞書他碑可證。

——清 翁方綱

覃谿論書，以永興接山陰正傳，此説非也。永興書欹側取勢，宋以後楷法之失，實作俑於永興。試以智師《千文》與《廟堂碑》對看，格局筆法，一端嚴，一逋隽，消息所判，明眼人自當辨之。因其氣味不惡，又爲文皇當日所特賞，遂得名重後世。若論正法眼藏，豈惟不能并軌歐顏，即褚薛亦尚勝之。余雖久持此論，而自覃溪、春湖兩先生表彰《廟堂》，致學者翕然從之，皆成榮咨道之癖，余不能奪也。

——清 何紹基

圖書在版編目（CIP）數據

虞世南孔子廟堂碑/上海書畫出版社編.—上海：上海書畫出版社，2012.7
（中國碑帖名品）
ISBN 978-7-5479-0393-3
Ⅰ.①虞… Ⅱ.①上… Ⅲ.①楷書—碑帖—中國—唐代
Ⅳ.①J292.24

中國版本圖書館CIP數據核字（2012）第119881號

中國碑帖名品［四十一］

虞世南孔子廟堂碑

本社 編

責任編輯 馮 磊
釋文注釋 俞 豐
審 定 沈培方
責任校對 周倩芸
封面設計 王 峥
整體設計 馮 磊
技術編輯 吴 金

出版發行 上海世紀出版集團
上海書畫出版社
地址 上海市闵行区號景路159弄A座4楼 201101
網址 www.shshuhua.com
E-mail shcpph@163.com
印刷 上海界龍藝術印刷有限公司
經銷 各地新華書店
開本 889×1194mm 1/12
印張 6 1/3
版次 2012年7月第1版
2023年7月第10次印刷

書號 ISBN 978-7-5479-0393-3
定價 56.00元